O, denneboom

Jacques Vriens/Dagmar Stam

O, denneboom

Van Holkema & Warendorf

Voor Alexander en Kimon

Twaalfde druk 1994

ISBN 90 269 0365 0 / CIP
© 1984 Unieboek B.V.,
Uitgeverij Van Holkema & Warendorf,
Postbus 97, 3990 DB Houten
Tekst: Jacques Vriens
Omslag en illustraties: Dagmar Stam

In dezelfde uitvoering verschenen *Dag Sinterklaasje, Drie ei is een paasei, Morgen mag ik in het diepe, Hallo baby!, Rood met witte stippen, Sneeuwman, pak me dan, Met zonder jas, Zandtaartjes, Voor 't eerst naar school, Hieperdepiep* en *Een huis vol dozen*

Ruzie

Wouter en Mieke stappen samen door de straat.
Mieke houdt haar broertje stevig bij de hand. Ze zijn
op weg naar de bakker.
Mieke voelt zich al heel groot. Ze gaat alleen een
boodschap doen en Wouter mag mee.
In de verte ziet ze de juf van de kleuterschool aankomen. Nu voelt Mieke zich nog groter. Trots loopt ze
met haar broertje de juf tegemoet.
,,Dag, juffie,'' roept Mieke.

Juf blijft staan en lacht. „Zomaar alleen op stap, Mieke?" vraagt ze.

Mieke knikt. „We gaan naar de bakker en Wouter mag met mij mee."

Juf aait Wouter over zijn bol en zegt: „Dag, Wouter, wat word jij al groot."

Wouter kijkt de juf aan. „Dag, mevrouw," zegt hij.

Mieke knijpt Wouter in zijn hand en roept: „Suffie, dat is juffie!"

„Dag, suffie," zegt Wouter.

Nu knijpt Mieke nog harder in de hand van Wouter. „Dat mag je niet zeggen tegen juf."

Maar de juf vindt het niet erg. Ze moet er juist heel hard om lachen en dan loopt ze door.

Mieke is boos op Wouter. Ze trekt Wouter mee en moppert: „Jij zegt rare dingen, zo mag je niet naar de kleuterschool."

Wouter draait zich om en roept nog een keer heel hard: „Dag, suffie!"

Mieke geeft hem een tik op zijn hand.

Wouter begint te huilen en snikt: „Ik wil niet naar school. School is stom!"

„School is niet stom," antwoordt Mieke.

„School is wèl stom!" roept Wouter.

„School is niet stom."

„Wel waar!"

„Niet waar!"

Ineens horen ze achter zich een stem.

„Kinderen, kinderen toch. Zo klein en al zoveel ruzie!"

Het is opa Bos met zijn hondje. Hij woont in de

straat bij Wouter en Mieke.

„Wouter zegt dat school stom is," zegt Mieke.

Opa Bos pakt zijn petje van zijn hoofd en krabt op zijn bol. Hij denkt even diep na en zegt: „Soms is school stom, maar meestal is het leuk."

Mieke kijkt Wouter aan.

„Zie je wel! Opa Bos zegt het zelf."

Wouter knikt en gaat op zijn knieën zitten bij het bruine hondje van opa Bos. Het is een tekkel, een heel dikke op vier korte pootjes.

„Dag, Flip," zegt Wouter en hij aait het hondje over zijn rug.

7

Flip kwispelt met zijn korte staartje en likt Wouter over zijn hand.

„Flip is dik," zegt Wouter. „Het is een worst."

Opa zet grote ogen op en zegt boos: „Flip is geen worst. Flip is een hond."

„Een worst-hond," antwoordt Wouter.

„Flip is een hond," roept opa Bos. Hij roept zo hard dat alle mensen kijken.

„Hij is heel lief," zegt Mieke gauw, want ze vindt het niet leuk dat opa Bos zo kwaad wordt.

Wouter knikt. „Ja, Flip is lief en een worst."

„Wel potverdorie!" roept opa Bos.

Nu horen ze weer een stem achter zich.

„Maar opa Bos toch! Wat staat u hier te mopperen op twee kleine kinderen."

Het is een heel grote mevrouw met een dikke jas aan en een bontmuts op haar hoofd. In haar ene hand draagt ze een tas met boodschappen. Met haar andere hand sleept ze een kerstboom achter zich aan.

De grote mevrouw zet de boom even tegen de muur en vraagt: „Wat is hier aan de hand?"

„Niets," bromt opa Bos. „Die kleine jongen zegt rare dingen over mijn hondje."

De mevrouw kijkt vragend naar Wouter.

Die zegt: „Flip is lief en een worst."

„Nou zegt hij het weer!" roept opa Bos.

De mevrouw glimlacht. „Maar hij zegt ook dat uw hondje lief is. Vooruit, geen ruzie maken. Het is al gauw Kerstmis. Dan maak je geen ruzie met elkaar. Vrede op aarde."

„Dat is waar," antwoordt opa Bos.
Mieke zucht. Ze is blij dat opa niet meer boos is,
want ze vindt hem heel aardig. Soms doet hij wel eens
knorrig, maar meestal is hij vriendelijk.
Ineens geeft de mevrouw een gil.
„O, nee!" roept ze en ze wijst naar de kerstboom.

Flip staat vlak bij de boom met zijn achterpootje omhoog. Hij doet er een flinke plas tegenaan.

„Haal die rothond weg," krijst de mevrouw.

Opa Bos trekt Flip bij de boom vandaan. Flip stribbelt even tegen en doet dan zijn plasje verder tegen de muur.

„M'n mooie kerstboom," klaagt de mevrouw. „Kijk eens wat die stomme hond gedaan heeft!"

Met grote ogen kijkt Wouter naar de mevrouw en zegt: „Flip is niet stom. Flip is lief."

„Het is een stomme hond," snauwt de mevrouw.

„Flip is lief," antwoordt Wouter.

„Een rothond."

„Kom, kom," zegt opa Bos. „Geen ruzie maken. Het is al gauw Kerstmis."

De mevrouw wordt helemaal rood. Ze pakt de kerstboom en stampt de straat uit.

Opa Bos begint te grinniken. Hij is weer helemaal blij. „Zo, kinderen," zegt hij opgewekt, „nu zijn we weer vrienden." Hij legt zijn hand op Wouters arm.

„En jij mag worst tegen Flip zeggen, hoor. Als je het maar niet te hard zegt."

„Waarom niet?" vraagt Mieke.

„Ik denk dat Flip dat niet leuk vindt. Hij is toch een hond en geen worst."

Wouter knikt. Dat snapt hij wel.

Heel zachtjes fluistert hij: „Worst-hond."

Dan vraagt hij: „Zo goed?"

Opa Bos lacht en vrolijk fluitend wandelt hij verder met Flip. Mieke pakt Wouter weer bij de hand en samen lopen ze naar de bakker.

Kling klokje, klingelingeling

Voor de winkel van de bakker blijven ze even staan.
„Klaas is weg," zegt Wouter.
Toen ze een paar dagen geleden hier langskwamen,
stond Sinterklaas er nog. Helemaal van koek. Nu
hangen er allemaal grote, papieren klokken en zilve-
ren slingers.
„Dat is voor Kerstmis," zegt Mieke. „Als Sinterklaas
weg is, wordt het Kerstmis."
„Kersumus?" vraagt Wouter.
„Kerstmis," zegt Mieke. „Dan moeten alle mensen
vrienden zijn. Heel lang geleden is er een baby'tje
geboren. Die heeft gezegd dat alle mensen vrienden
moeten zijn."
„En alle honden?" vraagt Wouter.
Mieke knikt. „Alle honden ook!"
„En alle poezen?"
„Die ook!"
„En alle vogels?"
„Ook!"
„En alle worsten?"
„Dat weet ik niet. Het is wel duizend jaar geleden dat
het baby'tje geboren is."
„Het is een oud baby'tje," zegt Wouter.
„Nee," zegt Mieke. „Het is het Kerstkind."
Dan gaan ze bij de bakker naar binnen. In de win-
kel hangen nog meer klokken en zilveren slingers.
Achter de toonbank staat een aardig meisje. Ze ziet

dat Wouter en Mieke naar de klokken kijken en ze
zegt: „Mooi, hè!"
„Heb jij een baby'tje?" vraagt Wouter.
Het meisje lacht. „Nee, hoor."
„Het is Kersumus," zegt Wouter.
Nu begrijpt het meisje wat Wouter bedoelt.

„Met Kerstmis is er een baby'tje geboren. Maar dat is al heel lang geleden. Je moet het maar aan je moeder vragen."

Dan buigt ze zich voorover naar Mieke. „Wat wil je hebben?" vraagt ze.

„Een gesneden bruin brood."

Even laten lopen ze weer op straat.

„Eten baby'tjes brood?" vraagt Wouter.

„Baby'tjes drinken melk. Uit de fles of uit de borsten van mamma," antwoordt Mieke.

„Ook het oude baby'tje?"

„Natuurlijk, die drinkt ook bij zijn mamma."

„Hoe heet die mamma?"

Mieke haalt haar schouders op. „Dat weet ik niet."

„Ooooooh," roept Wouter ineens en hij wijst naar een heel grote winkel. Voor het raam staan een heleboel dozen vol met kerstballen. Rode, groene en zilveren. Er hangen ook heel veel klokken van papier. Grote en kleine. Rode en witte.

„Ik weet een liedje over klokken," zegt Mieke trots. „Dat heb ik van juffie geleerd."

Zachtjes zingt ze voor Wouter:

„Kling klokje, klingelingeling,
kling klokje kling.
Kerstmis is gekomen,
met zijn groene bomen
en in alle landen,
gaan de kaarsjes branden.
Kling klokje, klingelingeling,
kling klokje kling."

Wouter luistert met open mond.

„Wouter ook," zegt hij dan. „Wouter ook klinge-ling."

Mieke zingt het nog een keer.

Als ze klaar is, zingt Wouter: „Kling kling klokje. Kling klang klong. In alle groene landen. Kling klang klong!"

„We moeten nu naar huis," zegt Mieke. „Het wordt al een beetje donker."

Ze lopen verder door de straat, terwijl Wouter zingt: „Kling klang klong."

In de verte zien ze moeder aankomen. Ze zwaait en loopt heel hard. Als ze bij Wouter en Mieke is, hijgt ze: „Ik maakte me ongerust. Jullie bleven zo lang weg."

Dan vertelt Mieke wat er allemaal gebeurd is. Van opa Bos en Flip. En natuurlijk van de boze mevrouw met de kerstboom.

Als ze klaar is, roept Wouter: „En het oude ba-by'tje!"

Moeder snapt er niets van.

„Het Kerstkind," zegt Mieke. „Wouter zegt het steeds verkeerd."

„Kling klang klong," roept Wouter. „De bakker heeft een baby'tje."

Moeder lacht. „Kom," zegt ze, „dan zal ik je thuis vertellen van het baby'tje."

„Ja," zucht Mieke, „want Wouter gooit alles door elkaar!"

Spruitjes en een verhaal

Als ze thuiskomen is vader de tafel aan het dekken.
„We kunnen meteen eten," zegt hij.
„Mamma moet vertellen," roept Wouter.
„Weet je wat," stelt moeder voor, „straks voor het
slapen gaan, zal ik vertellen."
„Nee, nu!" roept Wouter boos.
„We eten spruitjes," zegt vader dan.
Ineens is Wouter het helemaal vergeten.
„Hoi, hoi, spuitjes!" roept hij, want hij vindt spruit-
jes heerlijk.
Mieke niet. Die gaat met een vies gezicht aan tafel
zitten. Gelukkig hoeft ze niet zoveel spruitjes te eten.

Als ze klaar zijn met eten, gaat Wouter onder de douche. Ook dat vindt hij heerlijk. Het water spettert alle kanten op, terwijl hij zingt: „Kling klang klong. In alle groene landen. Kling klang klong."
Mieke zit boos op de bank in de kamer.
Vader komt naast haar zitten en vraagt: „Ben je boos om de spruitjes?"
„Een beetje," antwoordt Mieke.
„En waarom nog meer?"
„Om Wouter. Die zingt zo stom."
Vader lacht.
Van boven horen ze uit de douche weer zingen: „Kling klang klong."
Vader trekt Mieke bij zich op schoot.
„Wouter is nog zo klein," zegt hij. „Jij zit op school en kent die liedjes. Wouter moet ze nog leren."
Nu horen ze vanuit de douche: „Kling klang klong. In alle groene tanden..."
Mieke lacht ook.
„Klaar!" roept Wouter.
Moeder gaat naar boven en droogt Wouter af.
„Heeft het baby'tje van Kersumus ook een piemel?" vraagt Wouter.
Moeder knikt. „Het was een jongetje, dus hij had een piemel. Doe maar gauw je pyjama aan, dan zal ik erover vertellen."
„Hoi, hoi," roept Wouter weer.
Als Wouter in bed ligt, komen vader en Mieke ook naar boven. Ze gaan allemaal op het bed zitten en dan begint moeder te vertellen.

Het baby'tje in het schuurtje

„Heel lang geleden leefden er in een land hier ver
vandaan een arme vader en moeder."
„Hoe heetten ze?" vraagt Wouter.
„De moeder heette Maria en de vader heette Jozef.
In de buik van Maria zat een baby'tje.

Op een dag moesten die vader en moeder een heel grote reis maken. Omdat de moeder het baby'tje in haar buik had, wilde de vader niet, dat ze zo ver zou lopen. Van zijn laatste geld kocht hij een ezel en zette de moeder daar bovenop."

„Wil de ezel dat?" vraagt Wouter.

„De ezel vond dat best leuk, zo'n moeder op zijn rug met een baby in haar buik.

Toen ze de hele dag gelopen hadden en het al donker werd, gingen ze op zoek naar een plekje om te slapen.

Ze klopten aan bij een groot huis in een dorpje dat Bethlehem heette. Een meneer deed de deur open en vroeg: 'Wat moet je?'

'Heeft u misschien een plekje om te slapen?' vroeg de vader. 'We zijn zo moe.'

'Nee,' zei de meneer. 'Alles is vol. Zoek maar een andere slaapplaats.' En met een harde klap gooide hij de deur dicht. Boem!"

Wouter gaat rechtop in bed zitten en roept: „Die man is stom!"

„Stil nou," fluistert Mieke, want ze wil graag weten hoe het afloopt.

Wouter trekt vader aan zijn trui en vraagt: „Als die mamma en die pappa bij ons komen, doe jij dan ook 'boem'?"

„Natuurlijk niet," zegt vader, „ze mogen meteen binnenkomen."

„En de baby ook?"

„De baby ook."

„En de ezel?"

„De ezel ook."

Tevreden gaat Wouter liggen met zijn duim in zijn mond.

„Ga door," zegt Mieke tegen moeder.

„De vader, de moeder met het baby'tje in de buik en de ezel liepen nog een tijdje door, maar het werd steeds donkerder en donkerder.

Na lang zoeken vonden ze in een weiland een oud schuurtje. Ze gingen gauw naar binnen."

„Mogen ze wel in dat zuurtje?" vraagt Wouter.

„Ja, hoor, want dat schuurtje was van niemand," antwoordt moeder en dan vertelt ze verder.

„Toen ze een lichtje maakten, schrokken ze wel een beetje, want er stond een groot bruin beest met twee scherpe hoorns. Het leek heel veel op een koe, maar de mensen noemden het een os. Gelukkig was het een aardige os en vond hij het best gezellig dat er mensen bij hem op bezoek kwamen.

Hij ging een stukje opzij en de vader, de moeder, het baby'tje in de buik en de ezel gingen lekker in het stro liggen om te slapen.

Midden in de nacht maakte de moeder de vader wakker.

'Jozef,' zei ze, 'ik geloof dat ons baby'tje geboren wordt.'

De vader maakte gauw een kaarsje aan en even later kwam het baby'tje naar buiten, uit de buik van Maria.

Wouter vraagt: „Net als bij kleine poesjes?"

„Net als bij poesjes," antwoordt moeder.

„Doet dat pijn?"

„Een beetje."

„Dan is het goed," zegt Wouter tevreden.

„Je begrijpt dat de vader en de moeder heel blij waren.

De moeder deed een grote warme doek om het baby'tje heen.

De vader ging op zoek naar een wiegje. In de hoek van het schuurtje vond hij een houten bakje, waarin eten lag voor de os.

Die os vond het natuurlijk goed dat het baby'tje zolang in zijn etensbak werd gelegd.

De vader deed er wat stro in en even later zaten ze allemaal om het kindje heen: Maria, Jozef, de os en de ezel.

Ze noemden het baby'tje Jezus. De vader en de moeder wilden graag dat, als Jezus groot zou zijn, hij alle mensen zou helpen om vrienden te worden. De os en de ezel waren ook heel blij dat Jezus geboren was, want zoiets hadden ze nog nooit meegemaakt."

„Wilden ze Jezus niet opeten?" vraagt Wouter.

„Ze vonden het baby'tje heel lief. Ze gingen dicht bij hem staan en bliezen met hun adem een heleboel warme lucht over Jezus heen, zodat hij het niet koud kreeg.

Toen werd er zachtjes op de deur van het schuurtje geklopt.

Jozef deed open en er stonden een paar herders voor de deur. Die waren bij hun schaapjes in het weiland en kwamen even kijken."

„Ik weet een liedje van de herders!" roept Mieke. „Van juffie geleerd."

„Zing maar," zegt vader.

En dan zingt Mieke zacht:

„De herdertjes lagen bij nachte,
ze lagen bij nacht in het veld.
Ze hielden vol trouwe de wachte,
ze hadden hun schaapjes geteld.
Toen hoorden ze engelen zingen,
hun liederen vloeiend en klaar.
De herders naar Bethlehem gingen,
't liep tegen het nieuwe jaar."

Wouter klapt in zijn handen. Hij vindt het liedje heel mooi.

„Nog een keer!" roept hij.

„Ik weet nog een andere liedje," zegt moeder. „Het liedje dat Maria voor Jezus zong."

Als moeder begint te zingen, doet Mieke mee, want zij kent het liedje ook.

> „Hoe leit dit kindeken hier in de kou;
> ziet eens hoe alle zijn ledekens beven.
> Ziet eens hoe dat het weent en krijt van rouw!
> Nanana na na na, kindeken teer,
> Ei, zwijg toch stil, su, su en krijt niet meer."

Als ze klaar zijn met zingen, zien ze dat Wouter in slaap gevallen is. Hij heeft een duim in zijn mond en zijn beer in zijn arm.

„Ons baby'tje slaapt," fluistert vader.

Op hun tenen sluipen ze de kamer uit.

Mieke gaat ook naar bed. Ze krijgt nog een dikke zoen van vader en moeder. Ze slaapt heel snel in en droomt van het baby'tje in het schuurtje.

Er is een kindeke geboren...

Als Mieke de volgende dag uit de kleuterschool komt, zit Wouter midden in de kamer. Op de grond staat een schoenendoos. In die doos ligt zijn beer. Ernaast staan Wouters driewieler en zijn haasje dat van oude lapjes is gemaakt.

„Ik was de moeder en jij de vader," zegt hij. „M'n fiets was de ezel en haas is de os."

Dan gaat hij naast de doos zitten en roept tegen Mieke: „Vader, vader, ik heb een baby'tje."

Hij pakt de beer uit de doos en zegt: „Hallo, Jezus," en geeft beer een zoen.

Mieke blijft op de bank zitten.

„Kom nou, vader," zegt Wouter.

„Ik wil geen vader zijn," antwoordt Mieke. „Ik wil moeder zijn."

„Ik was de moeder!" roept Wouter.

„Dat kan niet," zegt Mieke. „Jongens kunnen geen moeder zijn."

„Jawel, hoor! Alle mensen kunnen moeder zijn," zegt Wouter en hij gaat op zijn fietsje zitten. Met de beer onder zijn arm rijdt hij de kamer uit, terwijl hij roept: „De moeder gaat lekker weg met Jezus. Op de ezel. Boodschappen doen."

Mieke staat op en loopt naar de gang.

„Ik heb vandaag een nieuw liedje geleerd op school," zegt ze.

Wouter draait zijn stuur om en racet de kamer binnen. Hij legt zijn beer weer in de doos.

„Jij was de moeder. Jij zingt voor het baby'tje," zegt hij.

Mieke gaat bij de beer op de grond zitten en zingt:

,,Er is een kindeke geboren op aard,
er is een kindeke geboren op aard.
't Kwam op de aarde voor ons allemaal,
't kwam op de aarde voor ons allemaal.

Er is een kindeke geboren op aard,
er is een kindeke geboren op aard.
't Kwam op de aarde en had er geen huis,
't kwam op de aarde en had er geen huis."

Als Mieke bijna klaar is met zingen, komt moeder de
kamer binnen. Ze luistert naar het liedje en als het uit
is, klapt ze in haar handen.
,,Mooi, hoor," zegt ze. ,,En nu heb ik een verrassing.
We gaan een kerstboom kopen. Jassen aan, mutsen
op, want het is koud."
Wouter en Mieke dansen naar de gang en kleden zich
lekker warm aan.

O, denneboom

Als ze in het dorp lopen, merken ze dat het al donker wordt. Overal branden vrolijke lichtjes en het is heel druk op straat. De mensen lopen de winkels in en uit en sommigen hebben pakjes bij zich.

Eerst gaan ze naar de markt. Midden op het plein staan wel honderd kerstbomen bij elkaar. Wouter en Mieke mogen er eentje uitzoeken.

Wouter wil eerst een piepkleine en dan een heel grote. „Ik wil die dikke," zegt hij.

„Ik denk dat hij een beetje te groot is," antwoordt moeder. „Dan moeten we een gat in het dak maken."

„Jaaa!" roept Wouter, want dat lijkt hem een goed plan.

Na een tijdje zoeken, ziet Mieke een heel mooie boom. Niet te groot en niet te klein.

Er komt een meneer bij. „Die maar doen?" vraagt hij. Het is de kerstbomen-koopman.

Moeder betaalt de boom en trots gaan ze op weg naar huis.

Ze dragen de boom met z'n drieën.

„Hij prikt me," zegt Wouter.

Moeder knikt en vertelt dan over de kerstboom.

„Het is een heel sterke boom, omdat hij in de winter ook groen wil blijven. Met Kerstmis zetten de mensen hem eventjes binnen. Als het dan buiten koud is en bijna alles kaal, hebben ze toch wat groen in huis. Zo denken de mensen vast een beetje aan het voorjaar en de zomer. Want dan gaat de zon weer langer schijnen en wordt alles weer groen."

„En de lichtjes en de kaarsjes?" vraagt Mieke.

„Die helpen de mensen om aan de zon te denken. En alles wordt mooi versierd, omdat de mensen blij willen zijn."

„En vrienden," zegt Mieke.

En Wouter roept: „Door het baby'tje."

„Precies," zegt moeder. „Een heleboel mensen zijn ook blij, omdat het baby'tje er is."

Mieke begint te zingen. Niet over het baby'tje, maar over de kerstboom.

„O, denneboom, o, denneboom,
wat zijn uw takken wonderschoon.
Ik heb u laatst in het bos zien staan,
toen zaten er geen kaarsjes aan.
O, denneboom, o, denneboom,
wat zijn uw takken wonderschoon."

„Nog een keer!" roept Wouter.

Ze komen nu in de straat waar ze wonen. Mieke en moeder zingen samen nog een keer het lied. Wouter

doet ook mee, maar die weet nog niet goed hoe het liedje gaat. Dus zingt hij steeds: „O, o, o, die boom."
Als ze voorbij het huis van opa Bos lopen, komt hij net naar buiten met zijn hondje.
„Wat een kabaal," moppert opa Bos. „Kinderen, kinderen, doe eens een beetje rustig."
Dan ziet hij dat moeder ook loopt te zingen. Hij vindt het maar gek en loopt gauw door met een boos gezicht.
„Opa is knorrig," fluistert Mieke.
„Dat is hij wel vaker," zegt moeder.
„Nee, hoor, meestal is hij aardig."
„Voor kinderen wel, maar voor grote mensen niet. Dat komt omdat opa Bos alleen is. Daar wordt hij misschien een beetje knorrig van."
Dan zijn ze bij hun huis.
De kerstboom komt midden in de kamer te staan.
Van zolder haalt moeder een doos met lichtjes en een grote doos met kerstballen en slingers. Mieke en Wouter mogen de boom versieren. Moeder hangt de lampjes erin.
„Voorzichtig met de ballen," roept moeder.

„Ze kunnen breken."
Maar Wouter en Mieke doen echt heel voorzichtig en
er gebeurt niets. Als ze bijna klaar zijn, mag Wouter
de piek helemaal bovenin zetten. Moeder tilt hem op
en dan is de boom echt af.
Ze hebben nog een paar ballen over. Die stoppen ze
in een doos die op de grond staat.
„Weet je wat," zegt moeder, „we doen alle lichtjes
aan. Dan hebben we een verrassing voor pappa als
hij thuiskomt."
Wanneer vader even later binnenstapt, is hij helemaal
verbaasd. Het is donker in de kamer en alleen de
lichtjes branden.
„Prachtig, prachtig!" roept hij en loopt om de kerstboom heen.
Dan horen ze ineens: 'Krak, krak, knisper, krak'.
Vader is midden in de doos met kerstballen gaan
staan. Mieke schrikt ervan. Wouter niet. Die roept
net als vader: „Prachtig, prachtig!"
Gelukkig hangt de boom al helemaal vol en als ze in
de doos kijken zijn niet alle ballen stuk.
Vader en moeder moeten er wel een beetje om lachen.
„O, o, o, die boom," zingt Wouter.
Dan zingen ze allemaal:

„O, denneboom, o, denneboom,
wat zijn uw takken wonderschoon.
Ik heb u laatst in het bos zien staan,
toen zaten er geen kaarsjes aan.
O, denneboom, o, denneboom,
wat zijn uw takken wonderschoon."

Feestsoep

Nog twee nachtjes slapen en dan is het Kerstmis.
Mieke en Wouter zijn in de kamer bij de kerstboom.
Op school heeft Mieke heel mooie lampionnetjes
gemaakt en sterren van zilverpapier. Voorzichtig
hangt ze die in de boom.
Ondertussen is moeder druk bezig om allerlei lekkere
dingen klaar te maken voor het kerstfeest.
Er komen lekkere luchtjes uit de keuken en Wouter
gaat steeds even ruiken.
„Wat is dat?" vraagt hij.
„Feestsoep," antwoordt moeder. „Voor het kerst-
diner."

„Met ballen?"

„Nee, met champignons."

„Wat is dat?"

„Kleine paddestoelen."

Dat vindt Wouter maar gek en hij vraagt: „Daar wonen toch kawouters in?"

„Welnee, daar wonen geen kabouters in," zegt moeder en ze gaat weer door, want ze heeft het erg druk.

Boos loopt Wouter naar de kamer.

Mieke zit een tekening te maken.

„Mieke," roept Wouter opgewonden, „mamma stopt huisjes van kawouters in de soep."

Samen gaan ze naar moeder, maar die stuurt hen meteen weer de keuken uit.

„Weg hier," zegt ze, „ik ben bezig. Als het Kerstmis is moet alles klaar zijn."

„Ik wil geen huisjes van kawouters eten," zegt Wouter.

Moeder wordt een beetje boos.

„Niet zo zeuren, Wouter! Champignons zijn zò klein, dat er zelfs geen kabouters in kunnen wonen."

„Ook geen héle, héle kleine kawouters?"

„Ook niet! En nou de keuken uit!"

Mopperend gaat Wouter weer naar de kamer, samen met Mieke.

Als vader thuiskomt loopt hij meteen door naar de keuken.

„Die zal ook wel uit de keuken moeten van mamma," zegt Mieke.

Maar vader blijft een hele tijd weg. Als ze stiekem

even gaan kijken, zien ze dat vader een taart aan het bakken is.

„Mmmmmmmmmm, lekker," roepen ze, want vader kan heel goed taarten bakken.

„De keuken uit!" roepen vader en moeder alletwee tegelijk.

Als ze weer in de kamer op de bank zitten, zegt Wouter: „Ik vind Kersumus stom."

Mieke knikt. „Zullen we buiten gaan spelen?" stelt ze voor.

Dat vindt Wouter een goed plan.

„We gaan naar buiten!" gilt Mieke heel hard in de gang.

„Jassen aan, mutsen op," roept mamma. „En in de straat blijven!"

Buiten is het koud.

„Misschien komt er sneeuw, dat zei mamma gisteren."

„Jaaaa!" roept Wouter.

„Dan is het echt Kerstmis," zegt Mieke.

Het stalletje van opa

Bij het huis van opa Bos blijven Mieke en Wouter staan. Voor het raam hangt een grote kerstster. Er brandt een lampje in.

Mieke en Wouter vinden de ster heel mooi en blijven er een hele tijd naar kijken.

Net als ze weer verder willen lopen, komt opa Bos naar buiten.

,,Dag, kinderen, vinden jullie de ster mooi?''

Wouter en Mieke knikken.

,,Jullie mogen wel even binnenkomen. Ik heb ook nog een stalletje.''

Ze lopen achter opa Bos aan naar binnen.

Mieke en Wouter kennen zijn huisje wel. Ze mogen wel eens naar binnen om Flip te zien.

In een hoek van de kamer staat een kerstboom. Daaronder staat een huisje met beeldjes erin.

,,Dat is het zuurtje van Jezus!'' roept Wouter blij.

Opa Bos snapt er niks van. ,,Het wàt?''

,,Het schuurtje van Jezus,'' zegt Mieke.

Opa Bos lacht. ,,Ik noem het altijd het stalletje, want er staan ook beesten in. Kijk maar.'' Hij wijst naar de os, de ezel en de schaapjes.

,,En dat zijn de moeder en de vader,'' zegt Wouter.

,,En dat is het baby'tje.''

,,Heel goed,'' zegt opa Bos tevreden.

,,Zing jij ook voor het baby'tje?'' vraagt Wouter aan opa Bos.

35

„Nee, dat doe ik niet. Vroeger, toen ik klein was, deed ik dat nog wel. Maar ik ben alle liedjes vergeten."

Wouter kijkt opa Bos aan. „Weet je echt geen liedjes meer?"

Opa Bos denkt heel lang na. Dan zingt hij zacht:

„Stille nacht, heilige nacht.
Davids zoon, lang verwacht.
Die miljoenen eens zaligen zal,
werd geboren in Bethlehems stal.
Hij, der schepselen heer,
Hij, der schepselen heer."

„Een stom liedje," zegt Wouter.

Opa Bos wordt boos. „Dat is niet stom. Dat is al heel oud."

Mieke knikt. „Op school heb ik dat ook geleerd. Maar juffie zingt het heel anders."

„Laat horen," bromt opa Bos.

Mieke zingt:

„Stille nacht, heilige nacht.
't Kindje slaapt, sluimert zacht.
Al zijn vriendjes die komen bijeen,
staan heel stil om het kribbetje heen.
Dromen ook zij van de vrede,
vrede voor ons allemaal."

Opa Bos vindt dit liedje ook mooi en hij is niet meer boos.

36

Wouter zit op zijn knieën voor het stalletje.

„D'r zijn nog meer poppetjes," zegt hij.

„Dat zijn de herders," zegt opa Bos.

„En die andere poppetjes?" vraagt Wouter, want voor het stalletje staan nog drie beeldjes.

„Die zijn heel deftig," zegt Mieke.

„Het zijn de drie koningen," vertelt opa. „Ze heten Kasper, Balthasar en Melchior. Die komen ook naar Jezus kijken."

Wouter pakt één van de drie koningen op. „Dat is Zwarte Piet."

Opa Bos zet de zwarte koning voorzichtig terug en zegt: „Jezus is geboren voor alle mensen. Voor witte en zwarte mensen."

„En alle honden?" vraagt Wouter.

„Natuurlijk," antwoordt opa Bos.

„En alle poezen?"

„Oók alle poezen."

„En alle vogels?"

„Natuurlijk, ook voor alle vogels."

„En alle worsten?"

Opa Bos zucht en kijkt naar Mieke. „Wat heb jij toch een raar broertje," zegt hij.

Vooruit dan maar

Opa Bos en Mieke kijken nog een hele tijd naar het stalletje. Mieke telt alle schaapjes en opa zet de beeldjes weer recht.

Wouter zit in de keuken bij de mand van Flip. De hond slaapt en Wouter aait hem zachtjes over zijn kop.

„Worst-hond," fluistert hij, maar Flip slaapt gewoon door.

Dan loopt hij terug naar de kamer en vraagt aan opa Bos: „Moet jij niet werken in de keuken? Eten maken voor Kersumus?"

„Nee, hoor," zegt opa Bos. „Dat doe ik nu nog niet."

„Wat eet jij dan?"

„Spruitjes."

„Ik eet bij jou!" roept Wouter. „Onze pappa en mamma eten huisjes van kawouters. Die wil ik niet."

Mieke vertelt aan opa Bos dat ze bij haar thuis allemaal lekkere dingen aan het koken zijn.

„Ik ben maar alleen," zegt opa. „Ik ga voor mezelf geen groot kerstdiner maken."

„Dan kom je bij ons eten," zegt Mieke. „Dat vinden ze vast wel goed."

„Maar ik vind het niet erg om alleen te eten met Kerst," zegt opa Bos. „Ik heb een heel dik boek gekocht. Daarin ga ik de hele dag lezen. En 's avonds trakteer ik mezelf op spruitjes."

„Die vind ik vies," zegt Mieke.

„Nou, ik niet."

Mieke pakt Wouter bij de hand. „Kom, Wouter, we gaan vragen of opa Bos met Kerstmis bij ons mag eten."

„Jaaa!" roept Wouter. „En neem je Flip dan ook mee?"

Opa wil nog zeggen dat hij liever thuis blijft met Kerst, maar Mieke en Wouter rennen de deur al uit.

Even later stormen Mieke en Wouter thuis de keuken binnen.

Vader en moeder zijn nog steeds heel druk bezig.

„Mag opa Bos met Kerstmis bij ons eten?" vraagt
Mieke.
„Met Flip!" roept Wouter.
Van schrik laat vader een ei vallen. „Die ouwe mop-
perpot!" roept hij. „Hier eten? Maar hoe komen
jullie daar nou bij?"
Mieke vertelt dat ze bij opa Bos zijn geweest. Ze vindt
het maar niks dat hij spruitjes eet met Kerst.
En Wouter vindt dat Flip moet komen.
„Maar opa Bos is heel knorrig," zegt moeder.
„Dat komt omdat hij alleen is," antwoordt Mieke.
„Dat heb je zelf gezegd!"
Even is het stil in de keuken. Vader en moeder kijken
elkaar aan. Ze weten niet wat ze moeten zeggen.
„Alle mensen moeten vrienden zijn," zegt Mieke.
„Vooruit dan maar," zucht vader.

Wouter en Mieke rennen zo hard ze kunnen terug
naar opa Bos.
„Je mag komen!" roept Mieke.
„Met Flip!" roept Wouter.
„Vooruit dan maar," zucht opa Bos.

Kerstmis

Mieke is al heel vroeg wakker. Ze kijkt naar buiten, maar er ligt geen sneeuw.

Ze gaat naar de kamer van Wouter. Die slaapt nog met zijn duim in zijn mond en de beer in zijn armen. Mieke trekt aan de deken. „Wouter, opstaan. Het is Kerstmis."

Wouter doet zijn ogen open en zegt: „Kersumus."

„Het sneeuwt niet," zegt Mieke en haar stem klinkt verdrietig.

„Goed," antwoordt Wouter.

„Nee, helemaal niet goed. Als het Kerstmis is, moet het sneeuwen. Dat zeggen de grote mensen."

Wouter gaat rechtop in bed zitten en vraagt: „Komt het baby'tje nu niet?"

„Natuurlijk wel. Het baby'tje is er al lang."

Wouter klimt uit bed. „Kom," zegt hij, „we gaan naar 't baby'tje kijken."

Wouter loopt de kamer uit.

Als hij beneden komt, zijn vader en moeder de tafel aan het dekken. Er ligt een wit laken op tafel met rode linten eroverheen. En het ruikt heel lekker in huis. Naar warme chocolademelk en verse broodjes.

„Waar is het baby'tje?" vraagt Wouter.

„In Bethlehem," antwoordt moeder.

Wouter knikt. Nu weet hij het weer.

Moeder loopt met hem mee naar boven, want ze gaan zich aankleden. Mieke mag haar mooiste jurk

aan en Wouter zijn nieuwe broek. Als ze weer beneden komen, staat alles op tafel en branden de lichtjes
in de boom.

„Vrolijk kerstfeest!" roept vader.

Ze geven elkaar een dikke zoen en gaan aan tafel
zitten. Mieke vindt de warme broodjes het lekkerst.
Wouter smult van het kerstbrood.

Na het kerstontbijt spelen Mieke en Wouter bij de
boom. Ze kijken in de ballen.

„Het is een spiegel," zegt Wouter.

„Ja," zegt Mieke, „maar het is een rare spiegel. Ik heb
een heel dik hoofd."

Wouter drukt zijn neus tegen een kerstbal en begint te
schateren. „Ik heb een foeps-neus," lacht hij.

Vader en moeder moeten ook in de kerstballen kijken.

„Hè," zegt vader, „ik heb bloemkool-oren."

Wouter en Mieke schateren van pret.

Dan gaat de bel. Het zijn oom Bram en tante Wil met Margje. Margje zit bij Mieke op de kleuterschool. Ze komen iedereen vrolijk kerstfeest wensen.

Mieke en Wouter nemen Margje mee naar de boom, om in de ballen te kijken.

Even later zitten ze allemaal bij de boom. Vader en moeder. Oom Bram en tante Wil. Wouter, Mieke en Margje. Ze drinken wat lekkers en eten kerstbrood. Daarna gaan de kinderen spelen en de vaders en moeders kletsen.

Wouter haalt zijn beer van boven en legt hem weer in de doos. Dan zet hij zijn driewieler erbij en de haas van oude lappen. „Ik was de vader!" roept hij.

„En ik de moeder," zegt Mieke.

Ze gaan alletwee bij de doos zitten.

Margje snapt er niks van.

„We doen van Kersumus," zegt Wouter. „Jij was de herder. Jij kwam naar het baby'tje kijken."

Dat vindt Margje goed. Ze gaat even naar de gang en doet haar jas aan. Als ze terugkomt, zegt ze: „Hallo, mevrouw, ik ben de herder."

Mieke geeft haar een hand. „Hallo, herder," zegt ze. „Ik ben Maria. Ik ben de moeder van het baby'tje."

Wouter geeft Margje ook een hand en roept: „Hallo, hallo! Ik ben de pappa!"

Margje vraagt: „Hoe heet jouw baby'tje?"

Wouter denkt even na. „Je zusje," zegt hij.

„Hij heet Jezus," zegt Mieke.

„Je zusje," zegt Wouter weer. Dan vraagt hij: „Kan je zingen, herder?"

„Ja, hoor. Ik zing een liedje van de kleuterschool,"

antwoordt de herder. Margje begint te zingen en
Mieke doet natuurlijk mee:

„Koetjes in het stalletje,
wees toch wat stil.
Hier is een klein kindje
dat slapen wil.
'Boe,' zeggen de koeien.
'Dan zullen we niet meer loeien.'

Schaapjes in het stalletje,
wees toch wat stil.
Hier is een kindje
dat slapen wil.
'Bèèè,' zeggen de schapen.
'Dan zullen we ook gaan slapen.' ”

Wouter, Mieke en Margje spelen nog heel lang met
elkaar. Ze zijn allemaal een keer herder. Wouter wil
ook nog ezel spelen. Margje zit op zijn rug met de
beer.
Na een hele tijd gaan oom Bram, tante Wil en Margje
weer naar huis.
„Zo,” zegt vader, „nu gaan we alles in orde maken
voor het kerstdiner. Opa Bos zal zo wel komen.”

Opa Bos komt

Het is al bijna avond. De tafel is weer gedekt. Nog mooier dan vanmorgen. Er staan veel borden op tafel. En glazen. Midden op de tafel staat een grote kandelaar met kaarsen.

Wouter kan niet wachten. Hij zit al aan tafel en slaat met een vork op zijn bord.

„Kling, klang, klong," zingt hij.

„Nog even wachten," zegt vader. „Tot opa Bos komt."

Er wordt gebeld. Wouter en Mieke rennen naar de gang. Als ze de deur opendoen, schrikken ze. Op de stoep staat een mannetje met een witte baard van watten en een rode muts op.

„Een kawouter!" roept Wouter.

„Woef," zegt Flip, want die staat naast de kabouter. Nu zien ze dat het opa Bos is.

„Ik ben de kerstman," zegt opa Bos.

„Jij bent opa Bos," zegt Wouter.

„Nee, hoor. Ik ben de kerstman en ik breng voor iedereen een klein cadeautje."

De kerstman stapt naar binnen. Hij geeft vader en moeder een hand en vraagt: „Waar is de kerstboom?"

Ze brengen de kerstman naar de kamer en daar legt hij vier pakjes onder de boom. „Zo," zegt hij en doet zijn baard en zijn muts af, „nu ben ik weer opa Bos."

„Waarom doe je dat?" vraagt Mieke.

„Omdat de kerstman voor allemaal een cadeautje brengt met Kerstmis."

„Net als Klaas!" roept Wouter.

Dan vertelt moeder dat mensen het leuk vinden om elkaar met Kerstmis te verrassen. Soms verkleden ze zich als kerstman en geven pakjes.

Mieke knikt. Dat heeft juffie op school ook verteld.

„De kerstman woont in het noorden, in de sneeuw, zegt juffie. Hij rijdt op een slee."

„Maar vandaag was ik de kerstman," zegt opa Bos. „Maak de pakjes maar gauw open."

Voor vader zijn er twee sigaren in een zakje en voor moeder een doosje bonbons. Mieke krijgt plakplaatjes. Voor Wouter heeft opa Bos een autootje meegenomen.

Als alles is uitgepakt, zien ze dat Flip op de bank ligt.

„Eraf!" zegt opa Bos boos. „Niet op die mensen hun goeie spullen!"

Moeder aait Flip over zijn rug. „Je mag blijven liggen. Omdat het Kerstmis is."
Dan gaan ze aan tafel.
Vader zet een grote schaal met dampende soep neer.
„Heerlijke champignonsoep," roept hij.
„Dat lust ik niet," zegt Wouter.
Vader doet net of hij niets hoort en vraagt aan opa

Bos: „Zal ik u maar opscheppen, opa Bos?"
Opa Bos kijkt even in de schaal met soep en trekt een
vies gezicht.
„Ik houd niet van soep," zegt hij.
Het is even stil.
Dan vraagt Wouter: „Wat eten we nog meer?"
Vader kucht. „Nou, om te beginnen, krijgen we nog
héle lekkere pasteitjes."
Opa Bos knikt instemmend. Dat lust hij wel.
„Daarna gaan we verder met verrukkelijke, gebak-
ken aardappels met witlof."
Opa Bos staat langzaam op. „Het spijt me, meneer en
mevrouw," zegt hij, „maar ik denk dat ik beter thuis
kan eten. Ik lust ook al geen witlof."
Het blijft even stil. Vader en moeder weten eerst niet
wat ze moeten zeggen.
„Maar opa Bos," zegt moeder dan en haar stem trilt
een beetje, „we kunnen toch nog wel wat anders voor
u klaarmaken."
„Doet u geen moeite, mevrouw," antwoordt opa
Bos. „Ik vind het niet erg, hoor. Ik ga gewoon naar
huis, naar m'n spruitjes. Ze zijn al schoongemaakt.
Ik hoef ze alleen maar eventjes op het vuur te zetten."
„Jaaaaa!" roept Wouter. „Spuitjes! Ik wil spuitjes!"
Vader en moeder kijken elkaar aan.
Dan heeft vader een plan. „Opa Bos," zegt hij, „u
gaat naar huis en haalt de spruitjes. Die zetten we hier
op het vuur en dat eet u gewoon bij ons."
Opa Bos krabbelt even op zijn hoofd.
„Toe nou, opa," zegt Mieke. „Je moet blijven."
Opa knikt. „Goed, ik haal de spruitjes."

„Ik wil mee!" roept Wouter.

Even later stappen opa Bos en Wouter door de donkere avond. Hand in hand, op weg om de spruitjes te halen.

Binnen zitten vader, moeder en Mieke aan tafel en eten van de soep.

Ineens beginnen vader en moeder te lachen. Zo'n gek kerstdiner hebben ze nog nooit meegemaakt.

Stille nacht

Om het huis van Wouter en Mieke ruikt het naar spruitjes.

Binnen zitten ze allemaal om de kerstboom, want ze moeten wachten tot de spruitjes gaar zijn.

Opa Bos vertelt van vroeger. „Toen ik nog een klein jongetje was, sneeuwde het altijd met Kerstmis. Met m'n moeder ging ik vaak naar het stalletje kijken in de kerk. We moesten wel een uur lopen door de sneeuw. Maar als we dan in de kerk kwamen, wist je niet wat je zag. Wel duizend kaarsjes!"

„Oooooh," roepen Wouter en Mieke.

„Maar dat was nog niet alles! Want als je bij het stalletje kwam, stonden daar beelden. Geen gewone! Welnee, héle grote beelden, met echte kleren aan."

Wouter gaat op zijn tenen staan en steekt zijn armen in de lucht. „Zo groot?" vraagt hij.

„Nog groter," antwoordt opa Bos.

Wouter en Mieke zouden dat wel eens willen zien.

Opa Bos schudt zijn hoofd. „Dat heb je tegenwoordig bijna niet meer," zucht hij. „Ach ja, d'r is zoveel veranderd. D'r is geen sneeuw meer en d'r zijn andere liedjes."

Hij legt zijn hand op de schouder van Mieke. „Maar lieve schat, dat lied van jou vond ik mooi. Jouw 'Stille Nacht'."

„Zingen!" roept Wouter.

En Mieke zingt:

„Stille nacht, heilige nacht,
't Kindje slaapt, sluimert zacht.
Al zijn vriendjes die komen bijeen,
staan heel stil om het kribbetje heen.
Dromen ook zij van de vrede,
vrede voor ons allemaal."

Dan zijn de spruitjes gaar en kunnen ze eten.
Ze vinden het allemaal heerlijk. Ze eten witlof en opa
en Wouter natuurlijk spruitjes.

Het toetje lusten ze allemaal. Het is ijs met slagroom.
En Flip krijgt een lekker bot om op te kluiven.
Als ze klaar zijn met eten, zegt opa Bos: „Vroeger deden we spelletjes met Kerstmis."
„Jaaah!" juichen Wouter en Mieke.
Vader en moeder vinden het ook een goed idee.
Eerst doen ze 'Ik zie, ik zie, wat jij niet ziet'. Daarna 'Drie maal drie is negen, ieder zingt zijn eigen lied'.
Ze zingen allemaal een kerstliedje. Behalve Wouter, die zingt alleen maar: „Kling, klang, klong."
Mieke is als laatste aan de beurt en zij zingt:

„Kling klokje, klingelingeling,
kling klokje kling.
Kerstmis is gekomen,
met zijn groene bomen,
en in alle landen,
gaan de kaarsjes branden.
Kling klokje, klingelingeling,
kling klokje kling."

Het is al heel laat geworden en Mieke en Wouter gaan naar bed.
Als vader Mieke onderstopt zegt hij: „Ik vind opa Bos eigenlijk heel aardig."
Tevreden kruipt Mieke onder haar dekens.
Als vader even later bij Wouter komt, is die al in slaap gevallen. Hij is zelfs vergeten om zijn beer bij zich te nemen.
Voorzichtig tilt vader Wouters arm op en legt de beer tegen hem aan.

54

Heel even doet Wouter zijn ogen open. „Baby'tje,"
mompelt hij zacht. Dan slaapt hij rustig verder.

De volgende morgen is Wouter als eerste wakker. Hij
kijkt uit het raam. Alles is wit. Het heeft gesneeuwd.
Hij rent naar de kamer van Mieke. „Mieke, Mieke,"
roept hij, „het sneeuwt."
Mieke stapt meteen uit bed en samen kijken ze naar
buiten.
„Het is net als vroeger," zegt Mieke, „toen opa Bos
klein was."
Wouter klapt blij in zijn handen en roept: „Nu hebben àlle mensen Kersumus!"
En dat vindt Mieke ook.

Inhoud